Workbook Answer Key

¡Trato hecho!

Workbook Answer Key

Darrell J. Dernoshek
University of South Carolina

¡Trato hecho!
Spanish for Real Life
SECOND EDITION

John T. McMinn
Austin Community College

Patricia Rush
Ventura College

Patricia Houston
Pima Community College

Rosa María Acero
Ventura College

Prentice Hall, Upper Saddle River, New Jersey 07458

Editor-in-Chief: Rosemary Bradley
Acquisitions Editor: Kristine Suárez
Development Editor: Mariam Rohlfing
Associate Editor: Heather Finstuen
Editorial Assistant: Amanda Latrenta
Executive Managing Editor: Ann Marie McCarthy
Editorial/Production Supervision: Nancy Stevenson
Interior Design: Tünde A. Dewey
Page Layout: Dewey Publishing Services
Cover Design: Bruce Killmer
Executive Marketing Manager: Ilse Wolfe
Marketing Coordinator: Don Allmon
Buyer: Camille Tesoriero

This book was set in 12/14 Minion by Dewey Publishing Services and was printed and bound by Bradford & Bigelow, Inc. The cover was printed by Bradford & Bigelow, Inc.

Printed in the United States of America
10 9 8 7 6 5 4 3 2 1

ISBN 0-13-086375-0

Prentice-Hall International (UK) Limited, London
Prentice-Hall of Australia Pty. Limited, Sydney
Prentice-Hall Canada Inc., Toronto
Prentice-Hall Hispanoamericana, S.A., Mexico
Prentice-Hall of India Private Limited, New Delhi
Prentice-Hall of Japan, Inc., Tokyo
Pearson Education Asia Pte. Ltd., Singapore
Editora Prentice-Hall do Brasil, Ltda., Rio de Janeiro

Lección 1   En clase

Tema 1   Las presentaciones

A. Saludos.

1. Buenas noches.
2. Buenos días.
3. Buenas tardes.

B. Un nuevo estudiante.

Answers will vary.

1. Buenos días.
2. Me llamo...
3. Ve, i, elle, e, ge, a, ese
4. (student's name)
5. Igualmente.

C. ¿Cómo se llama Ud.?

Answers will vary.

1. Buenas tardes
2. (student's name)
3. Mucho gusto.
4. muy bien
5. Ud.
6. bien

D. ¿Cómo estás?

1. estás
2. Estoy
3. estás
4. Estoy
5. está
6. Estoy
7. está

E. ¿Qué pasa?

1. Cómo estás, Estoy cansado.
2. Cómo estás, Estoy regular.
3. Cómo está Ud., Estoy muy ocupada.
4. Cómo está Ud., Estoy un poco enfermo.
5. Cómo estás, Estoy muy bien.

F. Una entrevista.

Answers will vary but should begin as follows:

1. Me llamo...
2. Estudio en...
3. Estudio...
4. Estoy...
5. Estoy cansado/a.

G. Un artículo.

Answers will vary.

Tema 2   La clase de Lázaro

A. ¿Qué son ellos?

1. Son profesoras.
2. Son novios.
3. Son amigos.

B. ¿Están en la capital?

1. Sí, ella está en Argentina.
2. Sí, él está en Perú.
3. Sí, están en Guatemala.
4. Sí, estoy en España.
5. Sí, estamos en Cuba.
6. Sí, estoy en Venezuela.
7. Sí, están en Ecuador.
8. Sí, están en Colombia.

C. ¿Cómo están los estudiantes?

1. ocupadas
2. tristes
3. cansadas
4. nervioso
5. contentos

D. ¿Cómo son todos?

1. populares
2. religiosos
3. serios
4. nueva
5. inteligente

E. Las maneras de expresar *you*.

1. ¿Está Ud. aburrido?
   No, no estoy aburrido.
2. ¿Está Ud. ocupado?
   No, no estoy ocupado.
3. ¿Están Uds. nerviosos?
   No, no estamos nerviosos.
4. ¿Están Uds. confundidos?
   No, no estamos confundidos.
5. ¿Está Ud. triste?
   No, no estoy triste.
6. ¿Están Uds. muy enfermas?
   No, no estamos muy enfermas.

Reunión A

A. Luis Miguel – El Ídolo.

1. Luis Miguel es muy popular.
2. Él es una persona ocupada.
3. La música romántica de Luis Miguel es seria.
4. Los conciertos de El Ídolo no son aburridos.
5. Luis Miguel siempre está contento.
6. Después de un concierto él está muy cansado.
7. Luis Miguel está mucho en México, D.F.
8. El Ídolo está a veces en Miami.

B. ¡Manos a la obra!

Answers will vary.

Tema 3   En mi clase

A. Los objetos del salón de clase.

1. una pizarra
2. una profesora
3. un escritorio
4. una puerta
5. una ventana
6. un estudiante
7. una estudiante
8. una silla
9. un estante
10. un reloj

B. Los mandatos de la clase.

1. Do the exercises in the book.
2. Go to the board.
3. Sit down.
4. Write the answers on the board.
5. Take out the workbook and a pen.
6. Learn the grammar.

C. La guía telefónica de Quito.

1. Es el cuarenta y siete, dieciséis, ochenta y seis.
2. Es el sesenta y dos, ochenta y ocho, setenta y seis.
3. Es el cincuenta y siete, veintiuno, treinta y dos.
4. Es el sesenta y seis, noventa y ocho, cero cinco.
5. Es el ochenta y dos, trece, doce.

D. La fiesta.

1. Los		6. la	
2. las		7. El	
3. Las		8. la	
4. la		9. los	
5. Los		10. el	

E. Arreglando el salón de clase.

1. Las mochilas están en las sillas. Los libros, los lápices, los bolígrafos y la calculadora están en el estante. Los borradores están en la pizarra.

F ¿Qué hay allí?

Answers will vary.

Tema 4 Las clases y los horarios

A. Asociación de palabras.

1. la psicología
2. la química
3. la informática
4. el borrador
5. el cuaderno

B. ¿Qué hora es?

1. Son las dos y veinte de la tarde.
2. Son las once y cinco de la noche.
3. Es el mediodía.
4. Son las siete menos diez de la mañana.
5. Son las doce menos veinticinco de la mañana.
6. Son las nueve y cuarto de la mañana.
7. Son las diez y dieciséis de la noche.
8. Son las ocho menos cuarto de la mañana.
9. Es la una menos veintisiete de la tarde.
10. Es la medianoche.

C. Su horario.

Answers will vary.

D. La programación española.

1. Es a las once y veintiocho de la mañana.
2. Es a las nueve de la noche.
3. Es a las once y media de la mañana.
4. Es el domingo 17.
5. Es el sábado 16.
6. Es el viernes 15 a las dos y media de la tarde.
7. Es el sábado 16 a las cuatro de la tarde.
8. Es el domingo 17 a las ocho menos siete de la noche.

E. Las actividades diarias.

1. estudia
2. estudia
3. estudian
4. escuchan
5. cantan
6. miran
7. preparan
8. regresa
9. regresa
10. necesita
11. hablan
12. deseas
13. Necesito
14. trabajas
15. trabajo
16. trabajo
17. necesitamos
18. Tomamos
19. caminamos

F. El curioso.

1. Qué
2. Quiénes
3. Cómo
4. Con quiénes
5. Por qué
6. A qué hora
7. Cuándo
8. Cuántos

G. Más preguntas.

1. ¿Cómo se escribe Zayas?
2. ¿Cuántas sillas hay en el salón de clase?
3. ¿Dónde está la computadora?
4. ¿Qué estudias?
5. ¿Por qué están preocupados tú y tus compañeros?
6. ¿A qué hora es el examen?
7. ¿Quiénes toman una Coca-Cola en un café después del examen?

H. ¿Cuál es cuál? ¿Qué es qué?

1. Cuál
2. Qué
3. Qué
4. Qué
5. Qué
6. Cuál
7. Cuáles

Reunión B

A. El primer día de clase.

Answers will vary.

B. ¡Manos a la obra!

Answers will vary.

¡Trato hecho!

A. Los anuncios clasificados.

1. 2
2. 3
3. 1
4. 1
5. 2
6. K-5
7. to be bilingual in English and Spanish

B. Ser bilingüe.

Answers will vary.

Lección 2   De compras

Tema 1   Las tiendas

A. De compras en Las Tres Bes.

1. La calculadora, treinta y cuatro, noventa y cinco
2. El libro, catorce, quince
3. El teléfono celular, cincuenta y tres, setenta
4. La mochila, cuarenta y seis, cincuenta
5. El radio, ochenta y cinco, veinticinco

B. En la zapatería.

Answers will vary.

C. El verbo ser.

1. soy
2. soy
3. soy
4. Soy
5. son
6. es
7. es
8. son
9. son
10. es
11. es
12. somos
13. somos
14. eres
15. es
16. eres

D. Una encuesta.

Answers will vary.

1. ¿Eres tú perezoso/a?
2. ¿Es Ud. profesor/a?
3. ¿Es Ud. egoísta?
4. ¿Es Flavio estudiante?
5. ¿Son Uds. de Asunción, Paraguay?
6. ¿Son Roberta y Sandra de Managua, Nicaragua?
7. ¿Es Ángela popular?
8. ¿Eres tú cubano/a?

E. Todos somos diferentes.

Answers will vary.

1. Carmen es cariñosa, liberal y optimista.
2. Gina es atractiva, inteligente, realista y trabajadora.
3. Darío es alto, cómico, puntual y rebelde.
4. Patricia y Betsy son ambiciosas, jóvenes, optimistas y simpáticas.
5. Andrés y Bryan son aburridos, estudiosos y perezosos.

F. Preguntas personales.

Answers will vary.

1. Soy de...
2. Soy...
3. Soy...
4. Generalmente, los exámenes son...
5. Los profesores son...
6. Hay...
7. Hay...
8. Sí, estudio...

Tema 2   En el centro comercial

A. El Corte Inglés.

1. Hay una camiseta y unos pantalones para bebés en la segunda planta.
2. Hay una pulsera de diamantes para señoras en la planta baja.
3. Hay sillas para la sala en la sexta planta.
4. Hay una mochila en la quinta planta.
5. Hay un par de zapatos de vestir para hombres en la tercera planta.
6. Hay una botella de perfume Paloma Picasso en la planta baja.
7. Hay un televisor en el primer sótano.

B. ¿Cómo están los amigos?

1. estamos	7. están	13. estás
2. están	8. está	14. Estoy
3. Estoy	9. está	15. Están
4. Estoy	10. Está	16. estamos
5. está	11. está	17. están
6. está	12. está	

C. Una nueva amiga.

Answers will vary.

1. Estoy bien
2. Estoy muy bien
3. Soy de...
4. soy de Santiago de Compostela, España
5. Está en la calle...
6. Está...
7. Son de...
8. Son las...
9. Sí, estamos...
10. El profesor es...
11. Está abierta hasta...

D. Ser y estar.

Answers will vary.

1. Mis amigos y yo somos trabajadores.
2. Carolina es dependiente en El Corte Inglés.
3. Paula y yo estamos siempre ocupados.
4. La farmacia está enfrente del hospital.
5. Los regalos son de Barcelona.
6. Las botas son de piel.
7. Mi apartamento está muy sucio.
8. El almacén está cerrado a las ocho y media.
9. Mauricio es aburrido.
10. El anillo es feo.

Reunión A

A. Solicitando una tarjeta de crédito.
Answers will vary.

B. ¡Manos a la obra!
Answers will vary.

Tema 3   De compras para la fiesta

A. La lista de compras.

En la frutería

1. 5 bananas
2. 1 piña
3. 6 naranjas
4. 1/2 kilo de uvas
5. 1/4 kilo de zanahorias
6. 2 lechugas
7. 2 kilos de papas
8. 1 1/2 kilos de cebollas
9. 800 gramos de tomates

En la lechería

10. 1/4 kilo de mantequilla
11. 1 litro de leche
12. 300 gramos de queso

En la tortillería

13. 1/2 kilo de tortillas

En la panadería

14. una barra de pan

En la pescadería

15. 3/4 kilo de salmón
16. 1/2 kilo de camarones

En la carnicería

17. 1/2 kilo de pollo
18. 1 kilo de bistec

En la pastelería

19. 1 pastel de chocolate

B. Ofertas de la semana.
Answers will vary.

C. ¿Dónde está la fruta, por favor?

Answers will vary.

1. ¿Dónde están las zanahorias?
   Las zanahorías están detrás de las papas.
2. ¿Dónde están las fresas?
   Las fresas están alrededor de las uvas.
3. ¿Dónde están las piñas?
   Las piñas están enfrente del señor Portillo.
4. ¿Dónde están las bananas?
   Las bananas están encima de la cabeza
   de la Sra. Portillo.
5. ¿Dónde están los tomates?
   Los tomates están entre las zanahorias
   y las cebollas.
6. ¿Dónde están las cebollas?
   Las cebollas están al lado de los tomates.
7. ¿Dónde están las uvas?
   Las uvas están al lado de las lechugas.

D. ¿Estás de acuerdo?

Answers will vary.

1. Nunca hablamos español en casa.
   Siempre hablamos inglés en casa.
2. Nunca miramos ningún programa del *Canal* +.
   Siempre miramos algún programa del...
3. Nunca visitamos el museo de Bellas Artes
   ni el Museo de Arte Moderno.
   Siempre visitamos...
4. Nadie nunca prepara una tortilla de patatas
   en mi restaurante favorito.
   Siempre prepara...
5. Nunca escuchamos nada interesante en
   Radio Dial.
   Siempre escuchamos...
6. Nunca cantamos música de Mecano tampoco.
   Siempre cantamos...

Tema 4   *La ropa*

A. La ropa de moda.

Answers will vary.

B. Mi ropa favorita.

Answers will vary.

1. Me gustan más mis pantalones...
2. Me gusta más mi sudadera...
3. Me gusta más mi camisa...
4. Me gusta más mi traje de baño...
5. Answers will vary.
6. Answers will vary.

C. Los gustos.

1. Te gusta
2. me gusta
3. me gusta
4. me gusta
5. me gusta
6. me gusta
7. le gusta
8. le gusta
9. le gustan
10. Te gusta
11. Me gusta

D. De regreso a la Frutería Portillo.

1. No deseo estas papas que hay aquí. No
   deseo ésas de allí, tampoco. Deseo aquéllas.
2. No deseo estas zanahorias que hay aquí. No
   deseo ésas de allí, tampoco. Deseo aquéllas.
3. No deseo estos plátanos que hay aquí. No
   deseo ésos de allí, tampoco. Deseo aquéllos.
4. No deseo estas lechugas que hay aquí. No
   deseo ésas de allí, tampoco. Deseo aquéllas.
5. No deseo estos tomates que hay aquí. No deseo
   ésos de allí, tampoco. Deseo aquéllos.
6. No deseo estas piñas que hay aquí. No deseo
   ésas de allí, tampoco. Deseo aquéllas.

Reunión B

A. Un crucero.

Answers will vary.

B. ¡Manos a la obra!

Answers will vary.

¡Trato hecho!

De compras en la red.

Answers will vary.

Lección 3 En familia

Tema I *La familia*

A. Los Cervantes.

La familia de Héctor

Lucas — Gloria

Antonio — Lolita

Germán — Verónica

Javier — Amanda

Héctor — Catrina — Cristina

B. Graciela, mi amiga argentina.

1. mi
2. nuestra
3. nuestra
4. nuestros
5. mi
6. su
7. su
8. su

C. ¿Dónde están?

Answers will vary.

1. Sí, tengo una calculadora, pero está en mi dormitorio encima de mi cama.
2. Sí, tenemos cuadernos, pero están en nuestro apartamento en nuestras mochilas.
3. Sí, mi amiga Carolina tiene un lápiz, pero está en su dormitorio al lado de la computadora.
4. Sí, mi amigo Jorge tiene bolígrafos, pero están en su apartamento en la mesa.
5. Sí, nuestros amigos Elena y Armando tienen libros, pero están en su apartamento en el estante.

D. La subasta.

1. setenta mil quinientos, cuatrocientos once.
2. cuarenta y tres mil ochocientos setenta y cinco, novecientos tres.
3. cincuenta y dos mil trescientos cincuenta, setecientos treinta y ocho.
4. trece mil ciento veinticinco, seiscientos cuarenta.
5. un millón de, quinientos catorce.

E. La independencia.

1. veinte de julio de mil ochocientos diez.
2. diez de agosto de mil ochocientos nueve.
3. veintiocho de julio de mil ochocientos veintiuno.
4. ocho de septiembre de mil ochocientos diez.
5. nueve de julio de mil ochocientos dieciséis.

Tema 2 La casa

A. La casa de los Hernández.

1. el árbol
2. el microondas
3. la cocina
4. el refrigerador
5. el comedor
6. la mesa
7. la silla
8. el sofá
9. la sala
10. el televisor
11. la alfombra
12. el baño
13. la cama
14. el dormitorio
15. el garaje
16. el coche
17. la planta
18. el jardín
19. la piscina
20. la flor

B. La vida en familia.

1. lee	8. recibimos
2. ve	9. asisten
3. bebe	10. aprenden
4. escriben	11. cree
5. insisten	12. deciden
6. debemos	13. Crees
7. aprendemos	14. Aprendes

C. ¿Qué haces?

Answers will vary.

1. bebe cervezas con sus compañeros de trabajo en el Bar Asturias.
2. ven la televisión todas las noches.
3. recibe y lee cartas de su novio Tadeo.
4. asiste a su clase de informática y aprende mucho de las computadoras siempre.
5. visitan a sus abuelitos los fines de semana.
6. cocino para mi novia los platos típicos de Guinea Ecuatorial.
7. vendemos mucho en nuestra pastelería porque nuestros pasteles son sabrosos.

D. Preguntas personales.

Answers will vary.

1. Vivo en Columbia, Carolina del Sur.
2. Asisto a la Universidad de Carolina del Sur.
3. Sí, creo que es importante estudiar en la universidad porque quiero tener un buen trabajo en el futuro.
4. Sí, me gusta mi universidad mucho.
5. En mi universidad estudio, asisto a clases y salgo con mis amigos.
6. Después de las clases vamos al cine o estudiamos para nuestras clases.
7. No, no vemos a nuestras familias los fines de semana. Sólo vemos a nuestras familias en el verano.

Reunión A

A. Un plano de su nuevo apartamento.

Answers will vary.

B. ¡Manos a la obra!

Answers will vary.

Tema 3   Los quehaceres domésticos

A. Arreglando el dormitorio / apartamento.

Answers will vary.

1. Yo normalmente seco los platos, hago la cama y limpio el refrigerador.
2. Mi compañero de cuarto, Óscar, normalmente sacude los muebles y aspira la alfombra.
3. Mi compañera de cuarto, Benita, normalmente limpia el baño y lava los platos.
4. Mis compañeras de apartamento, Inés y Fernanda, normalmente barren el patio y guardan los platos.

B. ¡Qué desorden!

Answers will vary.

1. limpiar y aspirar la alfombra y sacudir los muebles.
2. lavar, secar y guardar los platos, y barrer el piso.
3. limpiar el espejo y guardar las toallas.

C. La vida de un estudiante.

Answers will vary.

1. Ahora en la universidad yo estudio más en la biblioteca que antes en el colegio.
2. Ahora en la universidad yo asisto a tantos partidos de fútbol americano como antes en el colegio.
3. Ahora en la universidad tengo más amigos que antes en el colegio.
4. Ahora soy más independiente que antes en el colegio.
5. Ahora preparo menos mis comidas que antes en el colegio.

D. Comparando países.

Answers will vary.

1. El Perú es más extenso que Nicaragua.
2. Lima es más alta que Managua.
3. Nicaragua es tan antigua como el Perú.
4. Los habitantes de el Perú están más alfabetizados que los habitantes de Nicaragua.
5. Los habitantes de Nicaragua son tan religiosos como los habitantes de el Perú.

E. ¿Quién es más / menos...?

Answers will vary.

1. Yo soy tan alto como mi amigo Juan.
2. Mi amigo Juan es más estudioso que yo.
3. Mi amigo Juan es menos joven que yo.
4. Yo tengo más hermanos que mi amigo Juan.
5. Mi amigo Juan tiene tantos primos como yo.
6. Yo tengo más asignaturas que mi amigo Juan.
7. Mi amigo Juan es menos hablador que yo.

F. Lo mejor de lo mejor.

Answers will vary.

1. La cocina de mi apartamento es la más grande de todas.
2. El dormitorio es el más bonito de todos.
3. Las ventanas son las más nuevas de todas.
4. Las alfombras son las menos limpias de todas.
5. Los muebles son los más viejos de todos.
6. El jardín y los árboles son los más bonitos de todos.
7. El alquiler es el más bajo de todas.
8. La distancia del campus es la más cerca de todas.

Tema 4 *La guardería infantil*

A. Adivinanzas.

1. una guardería
2. una lonchera
3. un refrigerio
4. una enfermería
5. una cobija y una almohada
6. un juego

B. Buscando una guardería.

Answers will vary.

1. Hay que tener profesores preparados.
2. Deben tener la guardería limpia.
3. Es necesario estar cerca de la casa.
4. Hay que tener un/a enfermero/a.
5. Debe costar poco dinero.

C. ¿De dónde vienes y qué tienes?

1. vengo, tengo
2. viene, tiene
3. vienen, tienen
4. venimos, tenemos
5. viene, tiene
6. vienes, tienes
7. vienen, tienen

D. Pretextos.

1. No, gracias. No tengo hambre.
2. No, gracias. Tengo miedo.
3. No, gracias. No tengo frío.
4. No, gracias. No tenemos calor.
5. No, gracias. Tienen prisa.
6. No, gracias. Tengo sueño.

E. De visita en La Isla del Encanto.

1. tengo
2. sale
3. salgo
4. veo
5. oigo
6. vienes

7. traes
8. sabes
9. conduzco
10. conozco
11. tengo
12. poner

F. La matriculación.

Answers will vary.

1. ¿Conoce la profesora Zúñiga muchos países latinoamericanos?
   Sí, ella conoce muchos países latinoamericanos.
2. ¿Pone tu profesora información en la pizarra o en el retroproyector?
   Ella pone información en la pizarra.
3. ¿Ven Uds. películas en clase?
   Sí, vemos películas en clase.
4. ¿Haces presentaciones en la clase?
   Sí, hago presentaciones en la clase.
5. ¿Sales exactamente a la una y veinte?
   Sí, salgo exactamente a la una y veinte.
6. ¿Oyes rumores que la profesora Zúñiga es buena o mala?
   Oigo rumores que ella es buena.

Reunión B

A. La guardería 2000.

Answers will vary.

B. ¡Manos a la obra!

Answers will vary.

¡Trato hecho!

La decoración.

Answers will vary.

Lección 4 ¡Que se diviertan!

Tema 1 Las diversiones

A. ¿Qué tiempo hace en América del Sur?

1. En julio en Colombia hace mucho calor.
2. En julio en Ecuador está nublado.
3. En julio en Perú llueve.
4. En julio en Bolivia hace fresco.
5. En julio en Paraguay hace viento.
6. En julio en Chile hace frío.
7. En julio en Argentina nieva.
8. En julio en Uruguay está nublado.

B. ¿Te gusta hacer eso allí?

1. (No) me gusta hacer ejercicio aeróbico en el gimnasio.
2. (No) me gusta visitar Viña del Mar, Chile.
3. (No) me gusta nadar en la playa.
4. (No) me gusta estudiar en la biblioteca.
5. (No) me gusta correr en el parque.
6. (No) me gusta esquiar en la montañas.

C. ¿Qué plan tienen?

Answers will vary.

1. Laura va a ir de compras.
2. Ellos van a ir a su clase de matemáticas.
3. Voy a pasar el día en la playa.
4. ¿Vas a lavar tu ropa?
5. Ramona va a leer una novela chilena.
6. Van a mirar la televisión en casa este viernes.
7. Vamos a tomar una Coca-Cola.
8. Voy a comprar un coche nuevo.

D. ¿Por qué estás así?

Answers will vary.

1. Estoy triste porque acabo de recibir una mala nota en mi examen de física.
2. Estoy solo/a porque mi compañera de cuarto acaba de salir.
3. Begoña está mal porque acaba de comer en la cafetería.
4. Ellos están preocupados porque acaban de escuchar las noticias en la televisión.
5. Estoy sucio porque acabo de trabajar en el jardín.
6. Tengo frío porque acabo de estar afuera en la nieve.
7. Tenemos miedo porque acabamos de ver *Drácula* en la televisión.

E. ¿Cuándo?

Answers will vary.

1. Acabo de hablar por teléfono con mis padres.
2. Voy a ir de compras por pan y leche esta noche.
3. Voy a estudiar para el examen de español después de una hora.
4. Acabo de limpiar mi apartamento.
5. Voy a planchar mi ropa antes de salir mañana.
6. Voy a hacer ejercicio mañana por la mañana.
7. Acabo de buscar información en el Internet.
8. Voy a escribir mi mensaje de correo electrónico a un amigo después de comer.
9. Acabo de comer en un buen restaurante.
10. Voy a ver mi programa favorito de televisión mañana en la noche.

Tema 2 *El tiempo libre*

A. ¿Qué te gusta hacer en tu tiempo libre?

1. (No) me gusta levantar pesas.
2. (No) me gusta correr.
3. (No) me gusta hacer ejercicio aeróbico.
4. (No) me gusta nadar.
5. (No) me gusta jugar a las cartas.
6. (No) me gusta esquiar.

B. ¿Qué prefieres para beber?

1. vino
2. cerveza
3. leche
4. jugo
5. agua
6. café

C. ¿Y qué quieren para comer?

1. quieren
2. Prefieren
3. tenemos
4. prefieres
5. duermo
6. Pienso
7. queremos
8. sigue
9. encuentra
10. pierde
11. Pedimos
12. dices
13. almuerzo
14. tengo
15. pienso
16. miento
17. quiero
18. sirvo
19. vuelvo

D. Más sobre los verbos de cambio de raíz.

Answers will vary.

1. Mariana entiende los casetes de esta lección.
2. Norma y yo jugamos al baloncesto en el gimnasio.
3. Bárbara y sus primos repiten todas las palabras.
4. Yo duermo siete horas todas las noches.
5. El prof. Peña dice la verdad siempre.
6. Andrés y Carmen pueden esquiar en Chile en las vacaciones de julio, ¿verdad?
7. La tortillería cierra a las nueve de la noche.
8. Nosotros servimos postres deliciosos en el restaurante de su suegro.
9. Ellos pierden mucho dinero en la lotería.

E. Preguntas personales.

Answers will vary.

1. Hace mal tiempo. Está nublado.
2. Prefiero el verano.
3. Es porque me gustan las actividades al aire libre.
4. Normalmente vamos de vacaciones a la playa.
5. Sí, pienso ir de vacaciones este verano con mis amigos.
6. Voy con Antonio y Enrique.
7. Queremos ir a Ixtapa.
8. Tenemos que ir en avión.
9. Hace muy buen tiempo. Hace mucho calor.
10. Volvemos a casa el 15 de agosto.

Reunión A

A. Dime qué música escuchas y te digo quién eres.

Answers will vary.

B. ¡Manos a la obra!

Answers will vary.

Tema 3   Los fines de semana

A. Primero, luego, finalmente.

1. Me despierto. Me levanto. Me baño.
2. Se baña. Se seca. Se viste.
3. Vuelven a casa. Se acuestan. Se duermen.
4. Nos preocupamos por el examen. Recibimos la nota del examen. Nos ponemos de mal humor.
5. ¿Vas al cine? ¿Te diviertes en el cine? ¿Te vas del cine primero?
6. Se ven. Se besan. Se van.
7. Se casan. Se pelean. Se divorcian.

B. La rutina diaria de Merche.

1. se despierta
2. Se levanta
3. se lava
4. se baña
5. se seca
6. Se viste
7. se maquilla
8. se peina
9. se acuesta
10. se duerme

C. Un sólo baño.

1. Me levanto a las siete y veinticinco.
2. Me cepillo los dientes a las siete y media.
3. Me afeito a las ocho menos veinticinco.
4. A las ocho menos cuarto me baño.
5. Me seco a las ocho.
6. Y me visto a las ocho y cinco.
7. Me peino a las ocho y diez.
8. Desayuno cereal con leche a las ocho y cuarto.
9. Y finalmente salgo para la universidad a las ocho y veinticinco.

D. ¡Buenos días!

1. Todos nosotros nos levantamos temprano.
2. Yo me visto antes de desayunar.
3. ¿Tú te vistes antes de desayunar?
4. Mi hermana, Graciela, prefiere ducharse y luego lavarse los dientes.
5. Antes de lavarse Gabriel y su papá se afeitan.
6. Mamá y papá se sientan para tomar el café.
7. Nuestros padres se enojan si nosotros no nos sentamos con ellos a desayunar.
8. Después de levantarse de la mesa nuestros padres salen para el trabajo y mi hermano y yo vamos a la piscina donde nos divertimos.
9. Todos nosotros nos llevamos bien.

E. ¿Qué hacen en la casa de los Arteaga?

1. nos quedamos
2. nos acostamos
3. acostamos
4. me visto
5. vestirse
6. viste
7. nos sentamos
8. siento
9. Nos contamos
10. cuento
11. cuenta
11. nos abrazamos
12. nos besamos
13. abrazamos
14. besamos

F. Las acciones recíprocas.

1. Ellos se hablan.
2. Nosotros nos conocemos.
3. Ellos se llaman.
4. Nos abrazamos.
5. Ellos se besan.
6. Nos decimos "hola".
7. Ellos se pelean.
8. Ellas se encuentran en la panadería.
9. ¿Uds. se ayudan con su tarea?

Tema 4   Los deportes

A. ¿A qué deporte te gusta jugar?

Answers will vary.

1. No me gusta jugar al tenis.
2. Me gusta jugar al fútbol en el campo de la universidad.
3. Me gusta jugar al fútbol americano con mis amigos los domingos en la tarde.
4. No me gusta jugar al baloncesto.
5. Me gusta jugar al hockey sobre hielo en el invierno.

B. El gran final.

1. En el ciclismo el mejor atleta gana el Tour de Francia.
2. En el tenis el mejor atleta gana el torneo de Wimbledon.
3. En el fútbol el mejor equipo gana la Copa Mundial.
4. En el fútbol americano el mejor equipo gana el Súper Bowl.
5. En el hockey sobre hielo el mejor equipo gana el trofeo Lombardy.

C. El gran hombre es grande.

1. ... las pirámides grandes...
2. ... buen plato típico...
3. ... la gran artista...
4. ... de mala suerte...
5. ... la casa rosada...

D. Haciendo cola.

1. Elvira es la segunda cliente en la cola.
2. Paco es el tercer cliente en la cola.
3. Mauricio es el cuarto cliente en la cola.
4. Flora es la quinta cliente en la cola.
5. Esteban es el sexto cliente en la cola.
6. Purificación es la séptima cliente en la cola.
7. Alberto es el octavo cliente en la cola.
8. Mabel es la novena cliente en la cola.

E. ¡Más pretextos!

Answers will vary.

1. No puedo, gracias. Estoy leyendo una novela para mi clase de literatura española.
2. No puedo, gracias. Estoy estudiando para mi examen de informática.
3. No podemos. Estamos jugando Nintendo en la televisión.
4. No queremos, gracias. Estamos practicando el vocabulario ahora.
5. No quiero. Estoy mirando el partido de fútbol en la televisión.
6. No puedo. Estoy vistiéndome para salir con Jerónimo.
7. No deseamos, gracias. Estamos preparando un pastel para el cumpleaños de José.
8. No puedo, gracias. Estoy hablando por teléfono con mi novio Iván.
9. No deseo, gracias. Estoy pidiendo una pizza por teléfono.

Reunión B

A. Los deportes en el mundo hispano.

Answers will vary.

B. ¡Manos a la obra!

Answers will vary.

¡Trato hecho!

El club de *fans* de Maná.

Answers will vary.

Lección 5 ¡A trabajar!

Tema 1 La oficina

A. Todos a trabajar.
Answers will vary.

1. Marta está haciendo / hace fotocopias.
2. Rocío está usando / usa la computadora.
3. Belén y Javier están escribiendo / escriben a máquina.
4. Paloma está archivando / archiva unos papeles.
5. Luis está pegando / pega etiquetas en los sobres.
6. El Sr. Pérez está atendiendo / atiende a los clientes.

B. El primer día de trabajo.

1. sé
2. Sabe
3. conoce
4. conoce
5. conozco
6. sé
7. Sabe
8. sé
9. conoce
10. conozco
11. saben

C. Nuestras cualidades.

1. sabemos
2. conozco
3. sabemos
4. conozco
5. sé
6. conocemos

D. Y tú, ¿qué piensas?
Answers will vary.

1. Sí, conozco muchos países de Europa.
2. No, no sé hablar ninguna lengua extranjera.
3. Sí, sé escribir a máquina.
4. Sí, conozco varios hoteles buenos.
5. Sí, conozco a dos chicas muy interesantes.
6. No, no conozco ninguna película en español.
7. Sí, conozco muchos profesores buenos.

E. Un jefe muy exigente.

1. para
2. por
3. por
4. para
5. por
6. Por
7. por
8. para
9. para
10. por
11. para
12. para
13. Por
14. por
15. por
16. para
17. Por
18. por
19. para
20. por
21. por
22. para
23. por

F. Un chico indeciso y preocupado.
Answers will vary but they should include **por** or **para**.

1. Vas a estar allí por doce meses.
2. Es importante estudiar en otro país para aprender una lengua extranjera.
3. Debes ir por avión.
4. Vas a volar por México y por Centroamérica.
5. Sí, vas a tener una habitación para una persona.
6. Tu amigo Pedro va a jugar por ti.
7. Para mí, el programa puede ser una buena experiencia.

Tema 2 Una solicitud de empleo

A. Un anuncio.

1. empleo
2. doctor
3. título
4. graduarse
5. currículum vitae
6. comunicarse con
7. cita
8. entrevista

B. El contestador automático.

1. días hábiles
2. en este momento
3. dejar
4. final
5. confirmar
6. lo más pronto posible
7. buena suerte

C. Dejando un mensaje.

Answers will vary.

D. El correo electrónico.

1. llamé
2. contestó
3. dejé
4. envié
5. confirmaron
6. preguntaron
7. hablamos
8. quedamos
9. se graduó
10. empezamos
11. organizaron
12. cambiaron
13. se casó
14. terminó
15. recibí
16. respondiste
17. Reservaste

E. Tu vida en la universidad.

Answers will vary.

1. Susanita se sienta detrás de mí.
2. Siempre hablamos bien de él / ella.
3. Marcos va conmigo a la cafetería.
4. Los exámenes de español son para ellos.
5. Sí, pienso mucho en él / ella.
6. Nunca vengo a clase sin ella.

F. Un jefe inquisidor.

1. ¿Aprendió Mariana a operar la computadora?
2. ¿Archivó Federico los documentos?
3. ¿Atendieron Javier y Gonzalo a los hombres de negocios japoneses?
4. ¿Exportamos nosotros refrescos americanos?
5. ¿Llenó José Luis los contenedores de papel para reciclar?

6. ¿Sacó Mónica fotocopias del documento de venta?
7. ¿Pegaste tú las estampillas en los sobres?
8. ¿Conocieron Pablo y tú a los ingenieros de Panamá?
9. ¿Organizó Jorge las entrevistas a los candidatos?
10. ¿Contestaste los mensajes de correo electrónico?

G. Tu primer trabajo.

Answers will vary.

Reunión A

A. *Halcón Viajes* busca empleados.

Answers will vary.

B. ¡Manos a la obra!

Answers will vary.

Tema 3 *Una entrevista con el jefe*

A. Nuestros sueños.

Answers will vary.

B. El ascenso.

1. caer bien
2. tomar una decisión
3. asistir
4. curso
5. mudarse
6. dominar
7. bilingüe
8. pasatiempo

C. Una solicitud de empleo.

Answers will vary.

D. La encuesta.

Answers will vary.

1. Domino tres lenguas extranjeras.
2. Me mudo frecuentemente.
3. Doy un mes de vacaciones.
4. Les caigo bien a mis empleados.
5. Ofrezco muchas gratificaciones.
6. Tomamos una decisión con mucho cuidado.
7. Me porto bien con mi secretaria.
8. Asistimos a muchas reuniones.

E. Las mentiras del jefe.

Answers will vary.

1. El jefe no dominó ninguna lengua extranjera.
2. No se mudó nunca.
3. No les dio vacaciones a los empleados.
4. No les cayó bien a los empleados.
5. No ofreció gratificaciones.
6. No tomó ninguna decisión.
7. No se portó bien con la secretaria.
8. No asistió a las reuniones.

F. Una entrevista en la televisión.

Answers will vary.

1. Vine a Venezuela porque...
2. Me fui a los Estados Unidos porque...
3. Supe que iba a ser actor porque...
4. Tuve...
5. Puse mi nombre en la estrella del Bulevard de Hollywood...
6. Dije...
7. El título de mi última película fue...
8. No pude resistir los encantos de mi pareja.

Tema 4 El primer día de trabajo

A. Las profesiones.

1. actrices
2. dependiente
3. abogado
4. cantante
5. mujer de negocios
6. médico
7. mesera
8. obrero

B. ¿Qué hacen y dónde?

Answers will vary but should begin as follows:

1. Alfonso es contador y él...
2. Rosalía es psiquiatra y...
3. Sebastián es director y...
4. Marta es secretaria y...
5. Alejandro es programador y...
6. Manuel es ingeniero y...

C. El primer día de trabajo.

1. fue
2. salió
3. dormí
4. funcionó
5. me levanté
6. quise
7. salió
8. fui
9. tiró
10. tuve
11. llamaron
12. pidieron
13. creyeron
14. tuve
15. leí
16. cambiaron
17. pude
18. llegué
19. creí

D. Un día de suerte.

Answers will vary.

E. La entrevista de trabajo.

Answers will vary but should include the following verbs:

1. Nací...
2. Estudié...
3. Tengo...
4. Viajé..
5. Sé operar...
6. Leí...
7. Tuve...
8. Trabajé...
9. Gané...
10. Solicité...

Reunión B

A. Creando un anuncio.

Answers will vary.

B. ¡Manos a la obra!

Answers will vary.

¡Trato hecho!

Logra el trabajo ideal diseñando tu propia página web.

Answers will vary.

Lección 6

Repaso Lección 1
En clase

Tema 1   Las presentaciones

A. La bienvenida.

1. Buenas noches
2. Buenas tardes

B. ¿Cómo debo tratar a la gente?

1. ¿Cómo te llamas?
2. ¿Cómo se llama usted?
3. ¿Cómo se llama usted?
4. ¿Cómo se llaman ustedes?
5. ¿Cómo te llamas?
6. ¿Cómo se llaman ustedes?
7. ¿Cómo se llama usted?
8. ¿Cómo se llama usted?

Tema 2   En la clase

A. El primer día de clase.

Answers will vary.

1. está ocupada
2. están nerviosos/preocupados
3. estoy preocupada/o, confundido/a, nervioso/a
4. están tristes
5. estás aburrido/a
6. está confundida/preocupada
7. está cansado
8. están contentos

Tema 3   Las cosas de la clase

A. ¿Dónde están?

Answers will vary.

1. Los lápices están en el escritorio.
2. El papel está en la mochila.
3. Los cuadernos están en el estante.
4. Los exámenes están en la oficina de la profesora.
5. Los borradores están en la pizarra.
6. Las sillas están en el salón de clase.
7. La tiza está en la pizarra.

B. Unas preguntas.

Answers will vary but they should include the following verbs:

1. Tengo...
2. Tengo...
3. Hay / La clase de español tiene...
4. Hay / Tengo español...
5. Tengo...
6. Mi padre tiene... Mi madre tiene...
7. El año tiene doce meses...
8. Una buena calculadora cuesta...
9. El libro de español tiene...

Tema 4   Los horarios

A. ¿Qué día de la semana es?

Answers will vary.

B. Mi rutina diaria.

Answers will vary.

1. Los domingos limpio a las doce del día.
2. Los sábados descanso a las dos de la tarde.
3. Los martes estudio a las cuatro y media de la tarde.
4. Los jueves lavo la ropa a las ocho menos cuarto de la noche.
5. Los viernes escucho música a las diez y media de la noche.
6. Los miércoles regreso a las doce de la noche.

Repaso Lección 2
De compras

Tema 1   De tiendas

A. Las tiendas.
Answers will vary.

B. ¿Cómo son los estudiantes?

1. son perezosos
2. es habladora
3. soy pesimista
4. eres inteligente
5. somos estudiosas
6. es aficionado
7. son pragmáticos
8. es romántico
9. son introvertidos
10. son tontos

Tema 2   En el centro comercial

A. Una cita a ciegas.

1. es
2. es
3. es
4. es
5. está
6. es
7. es
8. es
9. estamos
10. es
11. está
12. es
13. es
14. Son
15. estar

Tema 3   La comida

A. En el restaurante.

1. alguien
2. nadie
3. algo
4. siempre
5. algún
6. también
7. nunca
8. alguna
9. ninguno
10. algunos

Tema 4   La ropa

A. Los gustos en el vestir.

1. A José le gustan los calzoncillos largos.
2. A mí me gusta comprar la ropa en tiendas caras.
3. A Roberto y Luis les gusta un suéter blanco.
4. A Marisa le gustan las faldas de cuadros.
5. Al señor Pozo le gusta pagar con tarjeta de crédito.
6. A ti te gusta el bolso de piel.
7. A Paloma le gustan las sudaderas blancas.

B. Tomando decisiones en el centro comercial.

1. estas, Éstas, ésas
2. ese, éste
3. ésos, éstos, aquéllos
4. aquella, Aquélla
5. esos, Éstos
6. Ese, éste

Repaso Lección 3
En familia

Tema 1   La familia

A. Los Simpson.

1. padres
2. madre
3. padre
4. hermanos
5. hermana
6. hermana
7. abuelos

B. La familia.

1. abuela
2. tíos
3. suegros
4. primos

C. Las fechas y la edad.

1. el dos de agosto de mil novecientos cuarenta y dos.
2. el trece de agosto de mil novecientos veintiséis.
3. el once de mayo de mil novecientos cuatro.
4. el seis de julio de mil novecientos siete.
5. el cuatro de diciembre de mil ochocientos noventa y dos.

Tema 2   El hogar

A. La vida en el condominio.

1. comparten
2. vende
3. corren
4. asiste
5. decides
6. debemos
7. creo
8. comen
9. recibimos
10. abre

B. En la casa de los Martínez.

1. escribes
2. Insisto
3. comprendo
4. aprendo
5. leemos
6. creo
7. debemos
8. veo
9. abrimos
10. vemos

Tema 3   Las cosas de casa

A. Las habitaciones de Carlos y Susana.

Answers will vary.

1. Carlos tiene tantas camas como Susana.
2. Susana tiene menos armarios que Carlos.
3. Carlos tiene menos cuadros que Susana.
4. La habitación de Susana está más limpia que la habitación de Carlos.

B. El superlativo.

1. Manuel es el más trabajador de los tres.
2. Dulce es la más alta de las tres.
3. La casa de Carmen es la más grande de las tres.
4. El hijo de Claudia es el menor de los tres. El hijo de Sofía es el mayor de los tres.
5. Álvaro es el peor de la clase. Jorge es el mejor de la clase.

Tema 4   La guardería infantil

A. Cuentos infantiles.

A. Caperucita Roja.

1. vive
2. trae
3. se pierde
4. ve

B. Blancanieves.

1. va
2. viven
3. vende
4. cree
5. es
6. come

C. Cenicienta.

1. barren
2. planchan
3. sacude
4. tiene

D. El gato con botas.

1. es
2. corre
3. lleva

E. El flautista de Hamelin.

1. llega
2. sabe
3. cree

F. Aladino.

1. tiene
2. sale
3. limpia
4. pide

G. La sirenita.

1. oye
2. canta
3. sale
4. puede

Repaso Lección 4
¡Que se diviertan!

Tema 1 Las diversiones

A. ¿Qué tiempo hace?

1. Hace calor.
2. llueve
3. Hace frío.
4. No está nublado.
5. nevar
6. Está nublado.
7. Hace fresco.

B. ¿Adónde vamos?

1. Voy al gimnasio.
2. Vamos al parque.
3. Va a la playa.
4. Va a la montaña.
5. voy al cine
6. va al centro comercial
7. ir al club

Tema 2 Las celebraciones

A. El bautizo de mi sobrino.

1. almorzamos
2. vienen
3. se encuentran
4. puede
5. prefiere
6. duerme
7. quiere
8. dice
9. pido

B. Un día poco afortunado.

1. duermo
2. sirvo
3. sigo
4. cierra
5. digo, miente
6. pierdo, encuentro
7. cierran
8. prefiero

Tema 3 La rutina diaria

A. Los preparativos para salir.

1. se preparan
2. se duchan
3. se lavan
4. se secan
5. se maquillan
6. se peina
7. se secan
8. se lava
9. se enoja

B. El día de San Jordi.

1. se dan
2. se llevan
3. se ven
4. se hablan
5. se encuentran
6. se besan
7. se dicen

Tema 4 Los deportes

A. Un gran jugador o un jugador grande.

Answers will vary.

B. ¿Qué están haciendo?

1. Fernando está leyendo libros ahora.
2. Mariano y Felipe están jugando al tenis ahora.
3. Rosaura y tú están mirando un partido de tenis ahora.
4. Yo no estoy pateando a los otros jugadores ahora.
5. El guardameta está parando los goles ahora.
6. Nuestro equipo no está perdiendo los partidos.
7. Gloria no está durmiendo cuando está viendo fútbol americano en la tele.
8. Alejandro y yo estamos patrocinando a los ciclistas colombianos ahora.

Repaso Lección 5
¡A trabajar!

Tema 1   Cosas del trabajo

A. En la oficina.

1. Sabes, sé
2. Conoces, conozco, conoce
3. Sabe, sabemos
4. Sabes, sé
5. saben, sabemos

B. Cosas del trabajo.

A.	1. por	2. para	3. por	4. por
B.	1. por	2. por	3. para	4. para
C.	1. para	2. por		
D.	1. para	2. por	3. para	
E.	1. por	2. para	3. por	

Tema 2   Necesito un trabajo

A. La entrevista.

1. asistí
2. aconsejaste
3. llevé
4. compramos
5. empezó
6. llenamos
7. conocí
8. atendió
9. hablamos
10. respondí
11. expliqué
12. dirigí
13. archivó
14. se comprometió

B. Pronombres preposicionales.

1. conmigo
2. para ti
3. de usted
4. a la izquierda de ella
5. detrás/después de él
6. para ustedes

Tema 3   La entrevista de trabajo

A. Ya tengo el empleo.

1. ¿Estuviste nervioso?
2. ¿Pudiste llamar a Alicia?
3. ¿Qué ropa te pusiste para la entrevista?
4. ¿Hiciste reservas en un restaurante?
5. ¿Fuiste a renovar el pasaporte?

B. ¡Qué mala suerte!

1. fui	8. trajeron
2. me puse	9. se pusieron
3. recordé	10. estuve
4. preguntó	11. quise
5. tradujo	12. tuve
6. supe	13. hice
7. dije	

Tema 4   La carrera

A. El ascenso.

1. siguió, pudo
2. sirvieron
3. fui, supe
4. fuimos, repetimos
5. fue, prefirió
6. fuiste, preparaste
7. durmió

B. Un viaje de negocios y de placer.

1. fui
2. tuve
3. estuvieron
4. dio
5. entendimos
6. llamé
7. leyó
8. llevaron
9. fuimos
10. pidieron
11. quisieron
12. pagué
13. pude
14. Fue

Lección 7   La vida cotidiana

Tema 1   *La ciudad*

A. ¿Adónde tengo que ir?

1. un quiosco de periódicos
2. un teléfono público
3. una estación de servicio
4. una farmacia
5. un banco
6. un hospital
7. una oficina de correos
8. una peluquería

B. En la granja.

Answers will vary.

1. La gallinas dan huevos y su carne es nutritiva.
2. Los árboles frutales dan frutas que son saludables.
3. Los peces viven en los lagos y es bueno comer pescado.
4. Es muy divertido montar a caballo, y los caballos sirven de transporte para los vaqueros.
5. Las camionetas transportan los huevos, la fruta y el pescado al mercado.

C. ¡Qué bien lo pasaba antes de casarme!

1. era
2. era
3. salía
4. íbamos
5. dábamos
6. invitábamos
7. veíamos
8. alquilábamos
9. jugábamos
10. tenía
11. hablaba
12. conversaban
13. se paseaban
14. compraban
15. se reunían
16. comían
17. continuaban
18. se dormía
19. se dormían
20. había
21. hacíamos
22. Comíamos
23. caminábamos
24. asistíamos
25. pasábamos
26. hacías
27. Pasabas
28. gustaba

D. ¡Me gané la lotería!

Answers will vary.

1. ... salía todos los fines de semana en los aviones de Iberia.
2. ... compraba ropa en la planta de oportunidades de El Corte Inglés.
3. ... cenaba en Pans & Company.
4. ... dormían hasta las seis de la mañana.
5. ... vivían en casas de dos dormitorios.
6. ... iba a la capital de mi provincia.
7. ... daba fiestas para cuatro personas.
8. ... veíamos películas en un televisor de 40 cm.
9. ... uno de nuestros vecinos era nuestro amigo.
10. ... una persona nos pedía dinero.

E. ¡Niños, vengan a ayudar!

Answers in the first blank of each question will vary but will be in the imperfect aspect of the past tense.

1. ... mirábamos la televisión..., ... preparaban la cena
2. ... hablaba por teléfono..., ... hacía la cama
3. ... leía una revista..., ... sacaba la basura
4. ... escuchábamos la radio..., ... ponía la mesa
5. ... tomábamos una Coca Cola..., ... barría el piso
6. ... escribía un mensaje electrónico..., ... regaba las plantas

Tema 2 Un accidente con el coche nuevo

A. Un viaje en coche.

1. llenar el tanque con gasolina
2. limpiar el parabrisas
3. cambiar el aceite
4. revisar los frenos
5. reparar la llanta
6. ajustar el asiento
7. abrocharme el cinturón
8. arrancar el motor
9. cargar la batería

B. Un accidente.

Answers will vary.

C. ¡Ahora no vivo con mis padres!

1. En España nunca compartía un dormitorio, pero la semana pasada compartí un dormitorio por primera vez.
2. En España nunca iba al banco para pagar la cuenta de la luz, pero la semana pasada fui al banco para pagar la cuenta de la luz por primera vez.
3. En España nunca hablaba con el dueño del apartamento sobre el ruido de los vecinos, pero la semana pasada hablé con el dueño del apartamento sobre el ruido de los vecinos por primera vez.
4. En España nunca comía sin mi familia, pero la semana pasada comí sin mi familia por primera vez.
5. En España nunca me ponía botas para la nieve, pero la semana pasada me puse botas para la nieve por primera vez.
6. En España nunca almorzaba a las doce del día, pero la semana pasada almorcé a las doce del día por primera vez.
7. En España nunca veía películas en inglés, pero la semana pasada vi películas en inglés por primera vez.

D. ¿Por qué crees tú?

Answers will vary but the first verb should be in the preterite aspect of the past tense and the second verb should be in the imperfect aspect of the past tense.

E. Un cuento.

1. estaba
2. Eran
3. Hacía
4. estaba
5. sonó
6. contestó
7. Era
8. quería
9. preguntó
10. tenía
11. dijo
12. gustaba
13. decidieron
14. llegó
15. estaba
16. Iba
17. apareció
18. informó
19. hubo
20. podían
21. resultó
22. Llegó
23. comenzó
24. tuvieron
25. decidieron
26. jugaba
27. miraba
28. fueron
29. se besaron

F. No hay mal que por bien no venga.

1. trabajé
2. era
3. gustaba
4. llegué
5. dormía
6. despertó
7. jugaba
8. buscaba
9. entró
10. se enojó
11. terminábamos
12. quería
13. fuimos
14. se sentaba
15. dijo
16. teníamos

Reunión A

A. Jaimito, el chofer.

Answers will vary.

B. ¡Manos a la obra!

Answers will vary.

Tema 3 Las emergencias

A. El reportero de *El Comercio*.

1. el límite de velocidad
2. se desmayó
3. testigos
4. declaraciones
5. una multa
6. la cárcel
7. la sala de urgencias
8. recobró el conocimiento
9. la escena
10. se fracturó
11. se rompió
12. morirse
13. quedarse
14. recuperarse

B. ¿Por qué así?

Answers will vary but the first verb should be in the preterite aspect of the past tense and the second verb should be in the imperfect aspect of the past tense.

C. ¿Qué pasaba cuando hiciste eso?

Answers will vary.

D. Preguntas personales.

Answers will vary.

Tema 4 En la calle

A. El informe del accidente.

1. dobló
2. conductor
3. daños
4. asegurados
5. ley
6. reportar

B. Mamá, ¿qué recomiendas?

Answers will vary.

1. No debes hablar con nadie extraño.
2. No necesitas tocar ningún arma de fuego.
3. Tienes que dejar las sustancias en su lugar.
4. Debes llamar a casa y puedo ir por ti si está oscuro.
5. No debes estar en ningún lugar solitario.
6. Tienes que alejarte del perro inmediatamente.
7. Necesitas pedirle consejo al Sargento Valenzuela.

C. En la ciudad o en el campo.

1. Se encuentra el hospital más moderno en la ciudad.
2. Se encuentra la embajada de España en la ciudad.
3. Se encuentran muchos lagos en el campo.
4. Se encuentran caballos en el campo.
5. Se encuentra mi centro comercial favorito en la ciudad.
6. Se encuentran árboles muy altos en el campo.

7. Se encuentra una granja en el campo.
8. Se encuentra más seguridad en el campo.
9. Se encuentran menos coches en el campo.
10. Se encuentra mucha vida nocturna en la ciudad.

D. Los buenos modales.

Answers will vary.

1. No se llega tarde a su casa.
2. Se compran rosas para ella.
3. No se sube al coche primero que ella.
4. No se habla del fútbol siempre.
5. No se pierde la paciencia con ella nunca.
6. Se celebran sus cumpleaños con ella.
7. No se conduce rápidamente en la ciudad.
8. No se ponen ni azúcar ni leche en el café cuando no se desea ninguno.
9. Se pagan todas las cuentas en los restaurantes.
10. Siempre se gasta mucho dinero en la cita.

E. Ya está arreglado.

Answers will vary.

1. La computadora no se usaba antes, pero ahora se trabaja en la computadora todas las noches.
2. No se calentaba la comida en el microondas antes, pero ahora la comida se calienta.
3. No se escuchaba nada por el teléfono celular antes, pero ahora se escucha todo.
4. No se ponían los discos compactos en el equipo de sonido antes, pero ahora se ponen los discos compactos.

5. No se encendía la lámpara antes, pero ahora se enciende.
6. No se veían películas con la videocasetera antes, pero ahora se ven películas.
7. No se miraban los programas en el televisor antes, pero ahora se miran.
8. No se escuchaba música con la radio antes, pero ahora se escucha música.
9. No se sacaban fotocopias con la fotocopiadora antes, pero ahora se sacan fotocopias.
10. No se dejaban mensajes en la contestadora automática antes, pero ahora se dejan mensajes en la contestadora automática.
11. No se abrochaba el cinturón de seguridad antes, pero ahora se abrocha.
12. No se calculaba con la calculadora antes, pero ahora se calcula.

Reunión B

A. En caso de un accidente.

Answers will vary.

B. ¡Manos a la obra!

Answers will vary.

¡Trato hecho!

La nueva ley de tránsito.

Answers will vary.

Lección 8   *Vámonos de viaje*

Tema 1   *¿Adónde vamos?*

A. Mi primer viaje al exterior.

Answers will vary but should include a definition of the new vocabulary items of this *Tema*.

B. De regreso a casa.

1. Lo compré en San José.
2. Los compré en Bogotá.
3. Las encontramos en Buenos Aires.
4. La encontré en San Juan.
5. La compré en Santiago.
6. La compramos en Lima.
7. La encontré en la Ciudad de Panamá.
8. Los compré en San Salvador.
9. Los compramos en Santo Domingo.
10. La encontré en Quito.
11. Las compré en Asunción.
12. Los encontré en Caracas.

C. ¿Cuándo vas a hacerlo?

Answers will vary.

1. La acabo de hacer.
2. Acabo de lavarlos.
3. Voy a regarlas pronto.
4. Lo voy a ayudar con su tarea pronto.
5. La acabo de poner en el armario.

D. ¡Siempre hay una excusa!

Answers will vary.

1. No lo estoy contestando porque estoy preparando el café.
2. No estoy archivándolos porque no tengo tiempo.
3. No estamos poniéndolas en los sobres porque no nos quedan más sobres.
4. No estoy haciéndola porque ya la hice la semana pasada.

Tema 2   *En el hotel*

A. Llegando al Hotel Sidi Saler.

Answers will vary but should include the new vocabulary items of this *Tema*.

1. la escalera
2. el/la recepcionista
3. el pasillo
4. el mensaje
5. la huésped
6. el botones
7. el ascensor
8. las llaves
9. la vista al mar
10. el balcón
11. la cama matrimonial
12. la ducha
13. el baño

B. Formando oraciones lógicas.

Answers will vary.

C. Una encuesta.

Answers will vary.

1. A Magda le gusta mucho el pollo de Kentucky Fried Chicken.
2. A la Sra. Menéndez le encanta el papel higiénico Charmin.
3. Al Sr. Menéndez no le gustan las llantas Goodyear.
4. A Juan y a Magda les encantan las zapatillas Reebok.
5. A la Sra. Menéndez no le queda bien la ropa de mujer de Liz Claiborne.
6. A los Sres. Menéndez les interesa viajar a las montañas para pasar el fin de semana.
7. A Tigre le molesta Manchas mucho.
8. A Juan y a Magda les importa mucho asistir a la universidad.
9. Al Sr. Menéndez no le hace falta comprar un Ferrari nuevo.
10. A la Sra. Menéndez le duele la cabeza después de su accidente automovilístico.
11. A Juan y a Magda les hace falta una computadora.

Reunión A

A. Mis últimas vacaciones en avión.

Answers will vary.

B. ¡Manos a la obra!

Answers will vary.

Tema 3   En el restaurante

A. Una cena en nuestro restaurante preferido.

Answers will vary but should include the new vocabulary items of this *Tema.*

1. la propina
2. el cocinero
3. el menú
4. la camarera
5. la caja
6. la cuenta
7. el comedor
8. el carrito de postres

B. La comida más importante del día.

Answers will vary.

C. En la oficina de la familia.

1. Sí, te las saqué.
2. Sí, se los llamé.
3. Sí, te los firmé.
4. Sí, se los puse.
5. Sí, se las enviamos.
6. Sí, se los reservé.
7. Sí, se las devolvimos.
8. Sí, se lo terminé.
9. Sí, se las di.
10. Sí, ella nos lo leyó.

D. Hagamos un picnic.

1. Ellos
2. le
3. le
4. se

5. ellos
6. ella
7. les
8. se
9. le
10. él
11. le
12. Ellas
13. les
14. nosotras
15. yo
16. les
17. Les
18. Uds.
19. ella
20. mí
21. me
22. le
23. los
24. la
25. se
26. le
27. se la
28. se
29. las

Tema 4   Las direcciones

A. Buscando información en Lima.

1. excursión
2. mapa
3. conseguir
4. turismo
5. final
6. corredor
7. vestíbulo
8. proporcionar
9. darse prisa
10. creo
11. por nuestra cuenta

B. Un paseo por Lima.

Answers will vary.

C. En el Hostal Damascus.

Answers will vary but should begin as follows:

1. Señores, por favor vayan al primer piso...
2. Señor, por favor hable con el botones...
3. Señores, por favor salgan antes del mediodía...
4. Señor, por favor meta la tarjeta...
5. Señores, por favor llamen al servicio de habitación...
6. Señorita, por favor apague la música...
7. Señores, por favor no corran en la habitación...

D. De regreso a casa.

1. Devuélvala, por favor.
2. Consíganoslo, por favor.
3. Páselo bien.
4. Pónganoslo en el baúl, por favor.
5. Siéntense en el asiento de atrás, por favor.
6. Condúzcanos al aeropuerto, por favor.
7. No nos cobre demasiado, por favor.
8. Muéstrenmelos, por favor.
9. Váyanse a la puerta A16, por favor.
10. Démelas, por favor.
11. Abróchoselo, por favor.
12. No lo escuche cuando estamos despegando, por favor.
13. No se levanten hasta llegar a la puerta, por favor.
14. Búsquenlas al final del pasillo, por favor.

Reunión B

A. Consejos de un agente de bienes raíces.

Answers will vary.

B. ¡Manos a la obra!

Answers will vary.

¡Trato hecho!

Benidorm, un paraíso mediterráneo.

Answers will vary.

Lección 9   La salud y el bienestar

Tema 1   El ejercicio

A. El examen en la clase de anatomía.

1. el cabello
2. el ojo
3. la boca
4. la piel
5. la cadera
6. el tobillo
7. la nariz
8. la cara
9. el pecho
10. el estómago
11. el muslo
12. la cabeza
13. la oreja
14. el cuello
15. la espalda
16. el brazo
17. el codo
18. la mano
19. el dedo
20. el pie
21. el talón
22. la rodilla
23. la pierna
24. la cintura

B. La mujer lleva los pantalones.

1. Cierra
2. No cambies
3. No cargues
4. Haz
5. No toques
6. Ve
7. No conduzcas
8. Ven
9. Di
10. Sé

C. Vamos a tener una fiesta.

Answers will vary.

1. Ponlos en el refrigerador porque nos gustan fríos.
2. No la aspires porque acabo de aspirarla.
3. Bárremelo porque está muy sucio.
4. No los saques porque están sucios todavía.
5. Házmela porque no voy a tener tiempo para hacerlo(la).

D. Siempre estamos de acuerdo.

1. Sí, levantémonos temprano mañana.
2. No, no los comamos para la cena.
3. Sí, regalémoselos.
4. No, no nos las pongamos.
5. Sí, practiquémoslo para el campeonato del vecindario.
6. Sí, comprémoselas.
7. No, no nos preocupemos por los mosquitos este verano.
8. Sí, conozcámoslos hoy.

Tema 2   La dieta

A. Comer bien da energía y vida.

1. avena
2. cacahuate
3. embarazada
4. lentejas
5. huesos
6. fiebre del heno
7. fideos
8. trigo

B. En la clase de la profesora Cubas.

1. pronuncien
2. lee
3. repetir
4. saquemos
5. saquen

6. escriba
7. aprendemos
8. aprendamos
9. hacer
10. hago
11. hagan
12. me siento
13. se siente
14. juntarnos
15. me junte
16. vamos
17. vaya
18. le demos
19. se la doy
20. dársela
21. me la des

C. Consejos de sus padres médicos.

Answers will vary.

1. Te aconsejo que tomes un poco de miel antes de acostarte.
2. Te recomiendo que prepares una salsa picante con chile y que la pongas en tus tacos.
3. Les pido que compren frijoles, vainas y avena en el supermercado.
4. Insistimos en que vayan al quiosco del Sr. Álvarez para pedirle un jugo de piña fresco.
5. Te prohíbo que salgas a cenar este fin de semana en tu restaurante italiano favorito con tu novio.
6. Te sugerimos que hagas más ejercicio.
7. Quiero que le pidan cuatro aspirinas a su padre.
8. No te permito que corras en la noche en el parque.

D. Más consejos.

Answers will vary.

Reunión A

A. Los vicios.

Answers will vary.

B. ¡Manos a la obra!

Answers will vary.

Tema 3   La salud mental

A. En la oficina del terapeuta.

Answers will vary.

B. Quiero que hagas esto; no quiero que hagas eso.

Answers will vary.

Buenos hábitos

1. Quiero que las sepas.
2. Deseo que lo limpies cuando está sucio.
3. Espero que lo seas.
4. Recomiendo que la cierres antes de arrancar el motor.
5. Quiero que me lo conduzcas al estacionamiento.

Malos hábitos

1. No quiero que se lo des.
2. No deseo que te duermas cuando conduces.
3. Espero que no lo pases.
4. No recomiendo que lo sigas tan de cerca.
5. No quiero que te las pongas si conduces de noche.

C. ¿Qué te emociona?

Answers will vary but will include a verb in the subjunctive mood in the subordinate clause.

D. Preguntas personales.

Answers will vary but should begin as follows and should contain a verb in the subjunctive mood in the subordinate clause.

1. Me gusta que...
2. Me alegro de que...
3. Teme que...
4. Le encanta que...
5. Nos molesta que...
6. Tienen miedo de que...
7. Están tristes de que...
8. Me sorprende que...
9. Siento que...
10. Están contentos de que...

Tema 4   *Las enfermedades*

A. ¡Ay! Me siento muy mal.
Answers will vary but will include the vocabulary items indicated.

B. Preguntas para la Dra. Neruda.
Answers will vary but will include the vocabulary items indicated.

C. Los estereotipos.
1. Dudo que todos los hombres latinos sean machos.
2. No creo que todos los mexicanos tengan un burro como animal doméstico.
3. No es cierto que todos los colombianos usen cocaína.
4. Es dudoso que todos los puertorriqueños sean tan guapos como Ricky Martin.
5. Estoy seguro/a de que algunos mexicanos se ponen un sombrero grande cuando salen a la calle.
6. No es verdad que todos los cubanos crean en el comunismo.
7. No es cierto que siempre haga muchísimo calor en Quito, Ecuador.
8. Dudo que no haya teléfonos en los pueblos latinos.
9. Creo que no se debe tomar el agua en Latinoamérica.
10. No es dudoso que los latinos por lo general son menos puntuales que los estadounidenses.

D. Reaccionando a las diferencias entre culturas.
Answers will vary.

E. Pilar cumple años.
Answers will vary but will include a verb in the subjunctive.

Reunión B

A. Una vida agitada.
Answers will vary.

B. ¡Manos a la obra!
Answers will vary.

¡Trato hecho!

A. Los expertos hacen recomendaciones para mejorar la vida.
Answers will vary.

B. ¡Por fin, una solución!
Answers will vary.

Lección 10   El comercio y las finanzas

Tema 1   Los empleos

A. Una prueba en la clase de negocios.

1. E
2. H
3. A
4. B
5. F
6. C
7. G
8. D

B. El mío es mejor.

1. Mi chofer personal llega más puntualmente que tu chofer.
2. Mi hijo practica fútbol más perfectamente que tu hijo.
3. Mi esposa besa más románticamente que tu esposa.
4. Mi esposa me escucha más pacientemente que tu esposa.
5. Mi hija pinta más artísticamente que tu hija.
6. Mis hijos hablan inglés y español más claramente que tus hijos.
7. Mi empleada trabaja más felizmente que tu empleada.
8. Mi empleada también trabaja más cortés y placenteramente que tu empleada.
9. Mis perros juegan más alegremente que tus perros.
10. Mis perros también juegan más divertida e interesantemente que tus perros.

C. Un día horrible en la vida de los Cárdenas.

1. se le acabó
2. Se le cayó
3. se me rompió
4. se le(s) perdieron
5. Se nos olvidó
6. se me quedaron
7. Se nos descompuso

D. Preguntas personales.

Answers will vary.

Tema 2   La propiedad privada

A. Buscando casa.

1. lenguas
2. propiedad
3. parece
4. en sequida
5. inmobilaria
6. enganche

B. Información personal.

Answers will vary but should include a relative pronoun.

C. ¿Existe o no existe?

1. tiene
2. tenga
3. está
4. esté
5. cueste
6. cuesta
7. pueda
8. sea

D. Los nuevos vecinos.

Sentence-length answers will vary.

1. vendan
2. trabaje
3. tenga
4. está
5. pueda
6. guste
7. vive
8. sea

Reunión A

A. Jubilarse en San José, Costa Rica.

Answers will vary.

B. ¡Manos a la obra!

Answers will vary.

Tema 3 El banco

A. Un crucigrama.

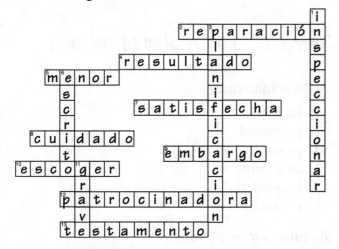

B. ¿Por qué está así?

1. la cerró y por eso está cerrada.
2. la ajustaron y por eso está ajustada
3. las escribió y por eso están escritas
4. los recogieron y por eso están recogidos
5. no los hicimos y por eso no están hechos
6. lo dañó y por eso está dañado
7. no lo incluiste y por eso no está incluido en la lista de invitados
8. lo resolví y por eso está resuelto
9. los rompieron y por eso están rotos
10. lo sirvió y por eso está servido
11. no las puso allí y por eso no están puestas en la mesa
12. las frieron y por eso están fritas

C. ¿Cuántas veces lo han hecho?

Questions should be written as follows. Answers will vary but should include a verb in the present perfect tense and one or more object pronouns when necessary.

1. ¿Cuántas veces has planchado tu ropa este semestre?
2. ¿Cuántas veces le has cocinado a tu novio/a este semestre?
3. ¿Cuántas veces ha pasado la aspiradora tu compañero/a de cuarto este semestre?
4. ¿Cuántas veces ha sacudido los muebles tu compañero/a de cuarto este semestre?
5. ¿Cuántas veces se han levantado tus compañeros de cuarto después del mediodía este semestre?
6. ¿Cuántas veces han bebido cerveza tú y tus compañeros/as de cuarto este semestre?
7. ¿Cuántas veces le has escrito una carta a tu novio/a este semestre?
8. ¿Cuántas veces han visto una película en el cine tú y tus compañeros/as de cuarto este semestre?
9. ¿Cuántas veces nos has llamado por teléfono este semestre?
10. ¿Cuántas veces han oído las noticias en la televisión tus compañeros/as de cuarto este semestre?
11. ¿Cuántas veces has leído el *New York Times* este semestre?
12. ¿Cuántas veces has imprimido una composición en el laboratorio de computa doras este semestre?

Tema 4 Los preparativos

A. Preguntas para el arquitecto.

Answers will vary.

B. Un presupuesto del contratista.

Answers will vary.

C. Los amnésicos.

1. Yo creía que había cerrado la puerta, pero la puerta no está cerrada.
2. El mecánico creía que había cargado la batería, pero la batería no está cargada.
3. Tú creías que habías firmado el contrato, pero el contrato no está firmado.
4. Los arquitectos creían que habían diseñado los planos, pero los planos no están diseñados.
5. Mi hermano creía que había perdido sus llaves, pero sus llaves no están perdidas.
6. Elvira y yo creíamos que habíamos leído los reportes, pero los reportes no están leídos.
7. Uds. creían que habían devuelto los videos, pero los videos no están devueltos.
8. Tú creías que habías escrito las cartas, pero las cartas no están escritas.

9. Maite y Cristina creían que habían entrevistado a Luis Miguel, pero Luis Miguel no está entrevistado.
10. Yo creía que había invertido mis 100 dólares, pero mis 100 dólares no están invertidos.

D. Una llamada a casa de sus abuelos.

1. Me alegro de que haya sacado una buena nota en el examen.
2. Me molesta que hayan ido a un bar después del examen.
3. Dudo que hayan bebido mil cervezas.
4. Es probable que hayan llegado a casa a las tres de la madrugada.
5. Es normal que su compañero se haya despertado con un dolor de cabeza.
6. Es increíble que se haya sentido bien al despertarse.
7. Es común que haya escrito tarde una composición para su clase de inglés.
8. Sentimos que le haya entregado su composición a su profesor tarde.
9. Estoy triste de que su compañero/a no haya querido ayudarlo a revisarla.
10. Siento que se le haya descompuesto su computadora.

E. ¡Prepárense!

Answers will vary.

Reunión B

A. Semejanzas y diferencias entre culturas.

Answers will vary.

B. ¡Manos a la obra!

Answers will vary.

¡Trato hecho!

A. Un diccionario incompleto.

1. Contrato de compraventa
2. Colateral
3. Gravamen
4. Acreedor hipotecario
5. Tasación
6. Escritura de propiedad
7. Impuesto sobre la propiedad
8. Comisión
9. Plica
10. Equidad

B. Un comprador sabio es un comprador informado.

Answers will vary.

Lección 11 *Los medios de comunicación*

Tema 1 *El futuro*

A. Jóvenes suficientemente preparados.

1. medios de comunicación
2. campo
3. diario
4. analizar
5. resumen
6. contacto
7. transmitir
8. especialista

B. Nuestros deseos para el futuro.

Answers will vary but will begin as follows:

1. Gloria Estefan cantará...
2. Andy García y Antonio Banderas serán...
3. Mario Vargas Llosa escribirá...
4. Severiano Ballesteros y José Olazábal jugarán...
5. Isabel Allende y Gabriel García Márquez publicarán...
6. Diego Armando Maradona será...
7. Fidel Castro gobernará...
8. El grupo mexicano Maná dará conciertos...
9. Yo viviré...
10. Mi mejor amigo estudiará...

C. Lo haré mañana.

Answers will vary but should include the following future tense verbs:

1. haré
2. estudiaré
3. empezaré
4. seremos
5. limpiaremos
6. trabajaré
7. visitaré
8. saldré
9. escribiremos
10. dirán

D. Mi vida en el futuro.

Answers will vary.

Tema 2 *Un reportaje*

A. Unas reformas.

Answers will vary.

B. Unos cambios en la escuela.

Answers will vary.

C. Buenas respuestas.

Answers will vary but should begin as follows:

1. Te daré más vacaciones...
2. Tendrás una oficina nueva...
3. Uds. viajarán al extranjero...
4. Samuel será jefe...
5. Uds. tendrán pagas extras...
6. Reduciré su horario de trabajo a la mitad...
7. Podrás descansar más que tus compañeros...

D. ¿Unos planes o unos hechos?

1. sea
2. decidan
3. apagas
4. estudien
5. viajamos
6. llego
7. te disculpes
8. vendamos
9. nos casemos
10. tenga

Reunión A

A. Los periódicos en español.

Answers will vary.

B. Los Sanfermines.

Answers will vary.

Tema 3 *La tecnología*

A. Una reunión de trabajo.

1. mesa directiva
2. ahorrar
3. tecnología
4. fluctuación
5. donar
6. construir
7. donativo
8. actuar
9. seminario
10. autoridad

B. Una televisión muy moderna.

1. Yo quería una televisión que tuviera sonido en tres dimensiones.
2. Yo quería una televisión que fuera de 34 pulgadas.
3. Yo quería una televisión que recibiera imágenes de televisión vía satélite.
4. Yo quería una televisión que indicara el número de canales.
5. Yo quería una televisión que viniera equipada con dos altavoces megabass separables.
6. Yo quería una televisión que tuviera un diseño atractivo.
7. Yo quería una televisión que programara automáticamente cualquier canal.
8. Yo quería una televisión que llevara el video incorporado en su interior.
9. Yo quería una televisión que estuviera de rebajas en el centro comercial.
10. Yo quería una televisión que trajera un control remoto de rayos infrarrojos.

C. Cambios en la oficina.

Answers will vary but should end as follows:

1. ... que la mesa directiva le ofreciera un ascenso a Paula porque es muy guapa.
2. ... que mi escritorio no estuviera en el mismo sitio.
3. ... que José consiguiera una noticia en exclusiva.
4. ... que en el escritorio de Marta hubiera unas flores.
5. ... que Luis y Pedro se fueran de viaje con los gastos pagados.
6. ... que el ascensor no funcionara durante una semana.
7. ... que Susana y Rocío obtuvieran un traslado a la oficina central.
8. ... que Laura casi muriera en un accidente de coche ayer.
9. ... que sobre mi escritorio hubiera muchos papeles para leer.
10. ... que fuera la mejor empresa del país en ventas.

D. Un contratiempo en la carretera y un mal amigo.

Answers will vary.

Tema 4 *El nuevo milenio*

A. Dos amigas con dos vicios.

1. telenovela	6. salón de charla
2. doblada	7. todo el mundo
3. protagonista	8. buzón
4. jurar	9. oscuridad
5. siglo	10. cadena

B. Un paso adelante.

Answers will vary but should include the following conditional verbs:

1. enseñaría	5. indicarían
2. aconsejaría	6. diríamos
3. contaría	7. ayudarías
4. explicaría	8. recomendarían

C. ¿Qué harías en estas situaciones?

Answers will vary.

D. En el futuro.

Answers will vary.

E. Un guía turístico.

Answers will vary.

Reunión B

A. Los virus informáticos, un peligro a evitar.

Answers will vary.

B. ¡Manos a la obra!

Answers will vary.

¡Trato hecho!

A. Las diferentes perspectivas sobre el euro.

Answers will vary.

B. Un norteamericano de vacaciones en la Comunidad Europea.

Answers will vary.

Lección 12

Repaso Lección 7
La vida cotidiana

Tema 1   La ciudad y el campo

A. Unas vidas muy distintas.

1. era
2. iba
3. hacías
4. éramos
5. nadábamos
6. había
7. nos aburríamos
8. estaba
9. respiraba
10. visitaba
11. me gustaba
12. veía
13. leía
14. prefería
15. me divertía
16. permitían
17. escuchábamos
18. tenía
19. quería
20. estaban
21. hacía
22. faltaba
23. asistías
24. olvidaba
25. acudía
26. prefería

Tema 2   Los coches

A. Un accidente.

1. ocurrió
2. me levanté
3. tuve
4. limpió
5. revisó
6. cambió
7. estaba
8. quería
9. funcionaban
10. Hacía
11. había
12. tomé
13. Eran
14. arranqué
15. pasé
16. paré
17. pagué
18. tenía
19. esperaba
20. detuve
21. conducíamos
22. venía
23. chocó
24. intenté
25. fue
26. pude
27. paré
28. salió
29. se dirigió
30. dio
31. estaba
32. me controlé
33. Había
34. vieron
35. tenía

36. tenía
37. llevaba
38. se lastimó
39. llamó
40. sucedió
41. olvidé
42. respetó

Tema 3   Accidentes y emergencias

A. Normas de conducir.

Answers will vary.

B. Una cita interesante.

Answers will vary but should begin as follows:

1. Salí con…
2. Era(n)…
3. Llevábamos…
4. Hacía…
5. Fuimos a…
6. Nosotros…
7. Vimos…; Era…
8. Manejé… / Manejó…
9. Nos despedimos…
10. Nos vimos…

Tema 4   Cómo protegerse

A. ¿Qué no se debe hacer?

1. No se aceptan regalos de extraños.
2. No se corre muy rápido.
3. Se camina siempre con los padres.
4. Se mira antes de cruzar la calle.
5. Se respetan los semáforos.
6. No se habla con desconocidos.
7. Se llama a la policía.
8. Se pide ayuda.
9. No se va a zonas peligrosas.
10. No se lleva un arma.

B. ¿Qué se hace?

Answers will vary but should begin as follows:

1. En el Uruguay se habla(n)…
2. En Cuba se canta(n)…
3. En España se come(n)…
4. En los Estados Unidos se viaja …
5. En la Argentina se juega(n)…
6. En México se bebe(n)…
7. En la República Dominicana se baila(n)…

Repaso Lección 8 Vámonos de viaje

Tema 1   Los viajes

A. Detalles de última hora.

1. ¿Usaste el cajero automático? Sí, lo usé.
2. ¿Trajiste las guías de viaje? Sí, las traje.
3. ¿Pagaste los pasajes? Sí, los pagué.
4. ¿Cambiaste la moneda extranjera?
   Sí, la cambié.
5. ¿Llamaste a tus padres? Sí, los llamé.
6. ¿Metiste a Toby y a Rambo en la perrera?
   Sí, los metí.
7. ¿Pusiste la crema bronceadora en la maleta?
   Sí, la puse.
8. ¿Apagaste las luces de casa? Sí, las apagué.
9. ¿Cerraste la puerta del garaje? Sí, la cerré.
10. ¿Compraste unos periódicos? Sí, los compré.

Tema 2   El hotel

A. El servicio de habitación.

1. Sí, las podemos cambiar. *o* Sí, podemos cambiarlas.
2. Sí, lo estamos reparando. *o* Sí, estamos reparándolo.
3. Sí, la vamos a servir. *o* Sí, vamos a servirla.
4. No, no los deben permitir. *o* No, no deben permitirlos.
5. Sí, la pueden encender. *o* Sí, pueden encenderla.

6. Sí, la deben devolver. *o* Sí, deben devolverla.
7. Sí, lo van a usar. *o* Sí, van a usarlo.
8. Sí, lo podemos llamar. *o* Sí, podemos llamarlo.
9. Sí, los vamos a traer. *o* Sí, vamos a traerlos.
10. Sí, la recepcionista los suele atender bien. *o* Sí, la recepcionista suele atenderlos bien.

B. Turistas en Madrid.

1. le
2. me
3. nos
4. les
5. le
6. le
7. me; me
8. os
9. les
10. nos

Tema 3 Los restaurantes

A. El libro de reclamaciones del restaurante.

1. A Esther le encantan los crepes de ron.
2. A nosotros nos molesta la gente que fuma.
3. A la camarera le queda bien la falda corta.
4. A ustedes les hace falta promocionarse en otros lugares.
5. A Miguel y a Antonio les gusta la carta de vinos.
6. A ellos les molesta la música muy alta.
7. A mí me interesa saber dónde consiguen el marisco.
8. A la carne asada le falta un poco de sal.
9. A nosotros no nos importa pagar el precio por un buen producto.
10. Al champán le hace falta estar un poco más frío.

B. ¡Camarero, por favor!

1. Sí, se la recomiendo.
2. Sí, se la puedo traer. *o* Sí, puedo traérsela.
3. Sí, se la puedo acercar. *o* Sí, puedo acercársela.
4. Sí, se los quiero preparar. *o* Sí, quiero preparárselos.

5. Sí, se la puede pedir. *o* Sí, puede pedírsela.
6. Sí, se lo sirvo.
7. Sí, se lo puedo sugerir. *o* Sí, puedo sugerírselo.
8. Sí, se lo puedo poner. *o* Sí, puedo ponérselo
9. Sí, se la puedo hacer. *o* Sí, puedo hacérsela
10. Sí, se la puedo incluir. *o* Sí, puedo incluírsela.

Tema 4 Las excursiones

A. La guía del buen turista.

1. Háganlas con tiempo.
2. Vayan al banco y cómprenlos.
3. Compruébenlos.
4. Tómenlo para ir al aeropuerto.
5. Entréguenlo a alguien para poder contactarlos.
6. Páguenlos con tarjeta de crédito.
7. Déjenlo con su vecino durante los días que estén fuera.
8. Empiécenlo con anticipación.
9. Pónganla en su maleta.
10. Háganla.
11. Ciérrenlas.

B. El cumpleaños.

1. Sí, envíenlas.
2. Sí, llévenlos.
3. Sí, cómprenla.
4. Sí, resérvenlo.
5. Sí, prepárenla.
6. Sí, tráiganlos.
7. Sí, háganlo.
8. Sí, llamémosla.
9. Sí, úsenla.
10. Sí, límpienla.

Repaso Lección 9
La salud y el bienestar

Tema 1   La salud

A. La clase de gimnasia o el parque de atracciones.

La clase de gimnasia

1. Date una buena ducha.
2. No les lances muy fuerte el balón a las niñas.
3. Trae la ropa reglamentaria.
4. Estira bien los músculos.

El parque de atracciones

1. Respeta los límites de altura.
2. No saques la cabeza.
3. Ponte el cinturón de seguridad.
4. No tengas miedo de entrar a la casa de los horrores.

B. ¡Vamos a tener una vida sana!

1. ¡Comámosla!
2. ¡Caminémoslos!
3. ¡Evitémoslos!
4. ¡Preparémoslo!
5. ¡Démoslo!
6. ¡Usémoslo!
7. ¡Durmámoslas!
8. ¡Comámosla!
9. ¡Nadémoslas!
10. ¡Bebámosla!

Tema 2   Póngase en forma

A. En el hospital.

1. hable
2. comunique
3. conteste
4. deje
5. salga
6. den
7. calme
8. tomen
9. nos reunamos
10. ayude
11. esté
12. tenga

B. Aladino y la lámpara maravillosa.

1. sean
2. regales
3. termines
4. conozcamos
5. pagues
6. den
7. ofrezca
8. enseñes
9. sea
10. hagas

Tema 3   El bienestar mental

A. La depresión.

Answers will vary but should end as follows:

1. ... seas más optimista.
2. ... visites a los buenos amigos.
3. ... vayas a ver películas tristes.
4. ... cuentes tus problemas a un amigo.
5. ... tomes alcohol.
6. ... te quedes siempre en casa.
7. ... te pongas ropa alegre.
8. ... comas sin control.
9. ... intentes la relajación mental.
10. ... dejes de asistir a clase.

B. La recuperación.

1. esté
2. puedas
3. necesites
4. te diviertas
5. sean
6. desobedezcas
7. sea
8. podamos
9. sea
10. tengamos

Tema 4   La sala de urgencias

A. Una persona preocupada.

1. esté
2. tiene
3. deba
4. sufra
5. soy
6. hagamos
7. cubra
8. se agota
9. examinemos
10. pueden

B. Unas órdenes del médico.

1. desobedezca
2. examine
3. se vacunen
4. tomemos
5. prohíban
6. consuman
7. muera
8. escuche
9. bajen
10. me preocupe

Repaso Lección 10
El comercio y las finanzas

Tema 1   El mundo del trabajo

A. ¡Vaya grupo de personas!

1. claramente
2. directamente
3. fácilmente
4. serenamente
5. impacientemente
6. amablemente
7. alegremente
8. rápidamente
9. diariamente
10. lentamente

B. Un mal día para Gerardo.

1. se me rompieron
2. se me mancharon
3. se me cayó
4. se me acabó
5. se le olvidó
6. se nos descompuso
7. se me quedó
8. se me perdió

Tema 2   Buscando casa

A. La casa de mis sueños.

1. esté
2. tenga
3. cueste
4. sea
5. den
6. viven
7. son
8. están
9. tienen
10. nos guste

B. Reformas en la agencia.

1. sea
2. sepa
3. haga
4. tienen
5. se llama
6. sabe
7. sean
8. incluyan
9. venden
10. cuestan

Tema 3   La casa y las finanzas

A. Un robo en el banco.

1. abierta
2. rotas
3. muerta
4. encendidas
5. puesta
6. desconectada
7. escrita
8. escondido
9. sorprendido
10. preocupados

B. Soluciones.

1. Luis y Ana han avisado al jefe.
2. Juan y yo hemos escrito un informe.
3. Claudia ha puesto todo en orden.
4. El detective ha sacado algunas fotografías.
5. Alonso y tú han vuelto más tarde para limpiar.
6. Tú has visto varios sospechosos.
7. El jefe ha hecho una investigación.
8. Yo he recibido una gratificación de 50.000 pesos por llamar a la policía.

Tema 4   Negocios

A. Tarde al trabajo.

1. habían salido
2. había empezado
3. había decidido
4. había cerrado
5. nos habíamos enfadado
6. había hablado

B. Nuestro nuevo hogar.

1. hayamos arreglado
2. haya podido
3. han sido
4. hemos invertido
5. hayan pintado
6. haya llamado
7. haya tenido

8. ha hecho
9. haya enviado
10. han encontrado

Repaso Lección 11
Los medios de comunicación
Tema 1   El futuro

A. Unos padres muy estrictos.

1. permitiré
2. compraremos
3. saldrán
4. tendrá
5. estudiará
6. podrá
7. seleccionarás
8. asistirán
9. estarán
10. dirán

B. La rebelión de los hijos.

1. seré
2. ganaré
3. tendré
4. saldrá
5. querrá
6. nos marcharemos
7. podremos
8. Irán
9. haremos
10. nos encantará

Tema 2   ¿Cómo seremos?

A. Un reportaje importante.

1. terminaremos; llegue
2. necesitarán; esté
3. me iré; terminemos
4. sacarás; funcione
5. almorzarán, logremos
6. vendrá, llame
7. entregará, revise
8. se marcharán, sepa

Tema 3   La tecnología

A. En el pasado.

1. actuáramos
2. supiera
3. publicara
4. entrara
5. hablaras
6. escondieran
7. dejaras
8. descubriera

B. El divorcio.

1. encontraras
2. tuvieras
3. viviera
4. supieran
5. habláramos
6. saliéramos
7. dijeran
8. miraran
9. nos casáramos
10. fueran
11. presentaran

Tema 4   El nuevo milenio

A. ¿Qué harías?

Answers will vary but should begin as follows:

1. a. Dormiría...
   b. Desayunaría...
   c. Saldría...

2. a. Visitarían...
   b. Comprarían...
   c. Comerían...

3. a. Volaríamos
   b. Nos comunicaríamos...
   c. Conoceríamos

4. a. Bebería...
   b. Bailaría...
   c. Limpiaría...

B. Una recomendación o un deseo.

1. llamaría
2. tendríamos
3. podrían
4. pediría
5. ahorrarías
6. resolvería
7. se levantarían
8. irían